DUO FRATRES

FAMILIA MALA
VOLUMEM II

A LATIN NOVELLA

BY

ANDREW OLIMPI

Comprehensible
Classics
VOL. 8

**Comprehensible
Classics
Press**
Dacula, GA

Duo Fratres
("Two Brothers")

Familia Mala, Volumen II
("The Bad Family, Vol. II)

A Latin Novella

by Andrew Olimpi

Series: Comprehensible Classics #9

Comprehensible Classics Press
Dacula, GA

First Edition: April 2019
Revised: June 2019

Cover painting and design by Andrew Olimpi

ISBN: 9781790821372

Discipulis meis
quot sunt
quot fuerunt
quot in futuris erunt temporibus

Author's Preface

Those crazy Roman gods are at it again!

The first volume of *Familia Mala* only told part of the story. Originally I had planned *Familia Mala* to be a single volume introduction to Roman mythology, but for the sake of length I ended up omitting so much material that I had enough for (at least) two more volumes. So, *Familia Mala* continues in the present volume *Duo Fratres*--a retelling of the myth of Prometheus—and will be concluded (?) in the third volume *Pandora*.

As with the first volume, my goal is retelling a few famous myths in simple, straight-forward Latin accessible to students in their first or second years of Latin. I do not wish to write a volume that they can easy *translate* or *decode*, but rather one that they can actually *read* fairly fluenty, processing the Latin as Latin from left to right at a comfortable speed instead of slowly puzzling through it. I also have limited the amount of unique vocabulary, but have not purposely sheltered grammar items or structures. I simply used whatever constructions or syntax I needed to communicate the story clearly. In doing so I have given little regard to the artificial grammatical sequencing common in Latin textbooks, nor is this novella "graded" in any way (i.e. increasing in syntactical complexity as the reader progresses). I want to tell an good story accessible to readers with low reading proficiency, so that novice readers can begin reading extended narratives independently, quickly, and confidently even in their first year of study.

In order to make this volume more accessible to novice Latin readers, I made extensive use of cognates. This is the custom in many beginning Spanish or French novellas written for a similar audience, and I have found in the classroom that use of such cognates helps give novice readers an early foothold in the language—as well as really opening new directions for the story to go. While not every cognate may be equally transparent to all readers, their judicious use allows me to expand the scope of the narrative while still communicating clearly.

So what makes this novella different than, say, the average adaptation of the myth found in a Latin textbook? Guided by language acquisition research, I tried to keep the following principles in mind as I wrote:

(1) I frequently employed word-order deliberately similar to modern language word-order to clear up ambiguities (while trying to stay within the bounds of good *Latinitas*).

(2) I also strived to keep my sentences short. I have not "sheltered" grammatical elements, but rather have employed whatever verbs, nouns, or turns of phrase are most clear and vivd in the moment.

(3) I did shelter vocabulary usage. The text assumes that the reader is familiar with roughly **135 unique Latin words**. The does not include alternate forms of the same word. Of the 135 words, *55 are fairly clear English cognates*. If cognates are excluded, that would bring the word count down to about **80 unique words**.

(4) I also provided generous vocabulary help throughout the text, in order to establish meaning though pictures and footnotes. At all times, I wanted to err on the side of *comprehensibility*.

I would like to thank the Latin students in my 2017-18 classes for test reading an early version of the present text, and especially my Latin III students who gave me useful ideas for improvement. Multas gratias also to Jonathan Roberts, who was an early proof-reader and encourager of this present volume. And, as always, this novella would be much inferior without the careful, editorial eye of Lance Piantaggini.

Andrew Olimpi
Hebron Christian Academy, 2018

ABOUT THE SERIES:

Comprehensible Classics is a series of Latin novels for beginning and intermediate learners of Latin. The books are especially designed for use in a Latin classroom which focuses on communication and comprehensible input (rather than traditional grammar-based instruction). However, they certainly can be useful in any Latin classroom, and can even provide independent learners of Latin interesting and highly-readable material for self-study.

Filia Regis et Monstrum Horribile
Comprehensible Classics #1
Level: Beginner
Unique Word Count: 125

Perseus et Rex Malus
Comprehensible Classics #2
Puer Ex Seripho, Vol. 1
Level: Intermediate
Unique Word Count: 300

Perseus et Medusa
Comprehensible Classics #3
Puer Ex Seripho, Vol. 2
Level: Intermediate
Unique Word Count: 300

Via Periculosa
Comprehensible Classics #4
Level: Intermediate
Unique Word Count: 130 (35 cognates)

Familia Mala: Saturnus et Iuppiter
Comprehensible Classics #5
Level: Beginner
Unique Word Count: 140 (45 cognates)

Labyrinthus
Comprehensible Classics #6
Level: Beginner
Unique Word Count: 120 (45 cognates)

Ego, Polyphemus
Comprehensible Classics #7
Level: Beginner
Unique Word Count: 140 (90 cognates)

Daedalus and Icarus: A Tiered Reader
Comprehensible Classics #8
Level: Intermediate-Advanced

Duo Fratres: Familia Mala II
Comprehensible Classics #9
Level: Beginner-Intermediate
Unique Word Count: 135 (55 cognates)

Coming Spring 2019:
Pandora: Familia Mala III

capitulum I

bellum[1]

erat bellum.
bellum erat
malum et longum.

Sāturnus erat
rēx.

erat Tītānus.
ecce Sāturnus:

---

[1] bellum: *war*

Iuppiter erat fīlius Sāturnī. ecce
Iuppiter.

nōn erat Tītānus. erat deus. deīs
nōn placent Tītānī. Tītānīs nōn
placent deī. deī et Tītānī nōn sunt
amīcī!

ōlim illī
pugnābant

pugnābant
et pugnābant
et pugnābant!

illī caelō pugnābant

et marī pugnābant

et terrā pugnābant!

bellum erat longum. Tītānī nōn erant victōrēs!

Iuppiter erat victor.
iam ille est rēx.

Iuppiter arrogāns et malus est.
Tītānīs nōn placet rēx Iuppiter.

Iuppiter rēx
Tītānōs **pūnīvit.**[2]

---

[2] punivit: *punished*

ecce Atlās.

Atlās erat Tītānus magnus et fortis! Sed Iuppiter eum pūnīvit! iam Atlās **caelum sustinet.**[3]

Iuppiter omnēs Tītānōs pūnīvit! iam omnēs Tītānī captīvī sunt in Tartarō.

---

[3] caelum sustinet: *holds up the sky*

cūstōdēs[4] sunt malī et horribilēs. sunt mōnstra.

ecce cūstōdēs.

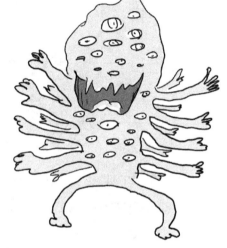

mōnstra cūstōdēs centum manūs habent.

mōnstra cūstōdēs centum oculōs habent.

---

[4] custodes: *the guards*

ōlim mōnstra erant captīva in Tartarō. sed mōnstra **in Tītānōs**[5] pugnāvērunt. iam mōnstra et deī sunt amīcī. iam mōnstra cūstōdēs in Tartarō sunt.

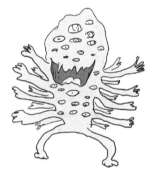

mōnstra sunt fortia, sed nōn intelligentia.

Tītānī sunt miserābilēs.

---

[5] in Titanos: *against the Titains*

capitulum II

Promētheus

ego sum:

PROMETHEVS

tū dīcis: "Promētheus? nōmen tibi longum et difficile est!"

nōmen mihi nōn est longum et difficile! nōmen mihi est quattuor (IV) syllabārum ecce:

PRO · ME · THE· VS
(I)   (II)   (III)   (IV)

quattuor syllabae nōn sunt multae! nōmen quattuor syllabārum nōn est longum!

Tītānus sum, sed captīvus nōn sum. ego in bellō nōn pugnāvī. mihi nōn placet pugnāre.

fráter meus
Epimētheus
in bellō pugnāvit.

ille bene pugnāvit. sed pugnāvit in *aliōs Tītānōs*!

prōditor[6] erat!
   ecce
frāter meus.
malus est!

frāter meus est . . .   Epimētheus

   nōmen frātrī est longum. est longum et difficile. nōmen frātrī est nōmen quīnque (V) syllabārum!

ecce nomen eī:
   E·PI·ME·THE·VS

   Epimētheus nōmen longum est! nōmen est quīnque (V) syllabārum!

---

[6] proditor: *traitor*

ego putō nōmina quīnque syllabārum esse longa et difficilia!

ego sum intelligēns.
ego sum intelligentior quam frāter.

Epimētheus nōn est intelligēns sīcut ego.

mihi nōn placet frāter meus.

ego putō frātrem meum esse malum et stupidum. sed frāter meus multōs amīcōs habet!

Iuppiter eum nōn **pūnīvit**.[7]

deī sunt amīcī frātris. Tītānī sunt amīcī frātris. omnibus placet frāter Epimētheus.

amīcōs nōn habeō. sōlus sum. ego amīcōs volō . . .

---

[7] punivit: *punished*

capitulum III

Epimētheu

tū in pictūrā mē vidēs? Epimētheus sum. sum āthlēta bonus. rapidē **currō**[8]. mihi placet currere.

---

[8] curro: *(I) run*

ego terrā
curro.

et marī
curro

et caelō
currō!

mihi placet **ubīque**[9] currere.

---

[9] ubique: *everywhere*

tū frātrem meum vidēs?

frāter nōn est āthlēta sīcut ego. eī nōn placet currere. est rīdiculum! frāter meus, Promētheus, est artifex.

Promētheus librōs legit.

Promētheus
librōs scrībit.

mihi nōn placet legere et scrībere!
frāter meus est poeta.　nōn sum
poeta.

librōs nōn legō.
librōs nōn scrībō.
librī mē taedent[10]!

ego currere volō!

---

[10] me taedent: *bore me*

18

capitulum IV
Epimētheus: certāmen

est **certāmen**[11].

ego et frāter Promētheus certāmus.

prīmum nōs montem magnum **scandimus**.[12]

ego montem rapidē scandō.

---

[11] certamen: *a contest*
[12] scandimus: *we climb*

scandō

et scandō

et scandō, et . . .

frāter meus montem *nōn* scandit!

ego: "ō frāter, cūr tū montem nōn scandis?"

Promētheus: "nōlō montem scandere.

ecce **herbae!**[13]

ecce medicīna.

fēcī[14] medicīnam.

---

[13] herbae: *herbs*

[14] feci: *I made*

medicīna mea est mīrābilis!"

Secundum ego et frāter meus in marī **natāmus**.[15]

ego rapidē natō.

rapidior natō quam frāter! mihi placet natāre!

natō et natō et natō . . . et victor sum!

sum āthlēta bonus!
sed frāter meus . . .

ecce! frāter meus nōn natat!
ego: "ō frāter!
certāmen est
in marī natāre!
cūr tū nōn natās?"

---

[15] natamus: *we swim*

Promētheus respondit:

"mihi nōn placet natāre!

ecce testūdo!

ego fēcī īnstrūmentum mūsicāle!

nōmen īnstrūmentō est cithara.

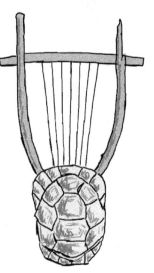

cithara mūsicam pulchram facit!"

Deinde erat certāmen tertium. ego et frāter meus currimus.

ego rapidē currō. currō et currō et currō, et . . .

ēheu! Promētheus nōn currit!

ego:
"ō Promētheus, certāmen est rapidē currere.

cūr tū nōn curris?"

Prométheus
respondet:
"mihi nón
placet currere.
currere mé taedet!

statuás fécí."

Prométheus figúrás fécit.
figúrae sunt statuae parvae.

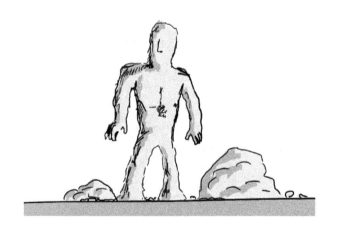

capitulum V

Promētheus: statuae magicae

nōn sum āthlēta. sum artifex. **rēs mīrābilēs**[16] faciō.

ecce **humus.**[17]

ego statuās parvās faciō.

---

[16] res mirabiles: *wonderful things, miraculous things*

[17] humus: *earth, ground*

statuae meae ex metallō nōn factae sunt. statuae meae ex humī factae sunt.

statuae meae nōn sunt metallicae.

statuae sunt . . . *hūmānae.*

"statuae hūmānae" sunt similēs māchinīs parvīs. sunt māchinae magicae! statuae sē movent!

frāter māchinās meās īnspectat.

Epīmētheus:
"ō frāter,
quid **fēcistī**[18]
ex humī?

fēcistīne animālia?"

ego: "minimē, ō frāter stupide.
ego animālia nōn fēcī. ego
"hominēs" fēcī.

Epimētheus:
"hahahae! hominēs
sunt parvī et rīdiculī.

---

[18] fecisti: did you make?

ecce tīgris.

possuntne hominēs currere rapidē **sīcut**[19] tīgrēs?"

ego: "minimē, hominēs nōn rapidē currunt sīcut tīgrēs."

Epimētheus: **"suntne hominibus**[20] dentēs magnī."

ego: "minimē, frāter, dentēs magnī hominibus nōn sunt.

---

[19] sicut: *like*

[20] suntne hominibus: *do the people have? (lit: "are there for the people")*

hominibus sunt dentēs parvī."

Epimētheus: "suntne
hominēs fortēs sīcut
elephantēs?"

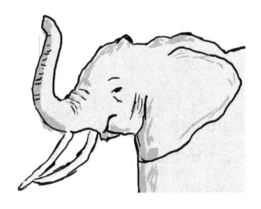

ego: "minimē, frāter, hominēs
nōn sunt fortēs sīcut elephantēs."

Epimētheus: "hahahae! hominēs
sunt rīdiculī!

suntne hominibus
unguēs[21] longī"

ego: "minimē."

Epimētheus:
"possuntne hominēs
volāre sīcut avēs?[22]"

ego:
"minimē, hominēs
nōn volant.

---

[21] ungues: *claws, talons*
[22] volare sicut aves: *to fly like birds*

30

hominēs nōn sunt rapidī. hominēs nōn sunt fortēs. hominēs sapientēs sunt . . .

. . . sīcut deī!"

capitulum VI
Vulcānus

ego sum
Vulcānus.

pater meus
est Iuppiter.

iam ego sum in monte Olympō.

pater meus difficultātem habet.

Iuppiter: "Aiiiii!

caput meum!
caput meum!"

Iuppiter exclāmat et exclāmat. ego Iovem exclāmantem audiō. horribile est.

Iuppiter: "Aiiiiii! caput meum **dolet!**[23] caput meum dolet!"

omnēs deī et deae Iovem audiunt. Iuppiter exclāmat et exclāmat!

---

[23] dolet: *hurts*

Iuppiter uxōrem
Iūnōnem **vocat**.[24]

IUNO

Iuppiter: "ō uxor mea! **adiuvā
mē!**[25] adiuvā mē! caput meum
dolet."

Iūnō: "ō mī vir! ego nōn possum
adiuvāre tē! ego nōn sum medica!
ego medicīnam nōn habeō!"

Iuppiter:
"ō Mercurī! adiuvā mē!
caput meum dolet!"

MERCURIUS

---

[24] vocat: *calls, summons*
[25] adiuva me! *help me!*

tū es medicus! tū **cādūceum**[26] habēs!

cādūceus
est magicus.
adiuvā mē!"

Mercurius:
"ō mī pater,
ego mortālēs adiuvō. ego nōn adiuvō immortālēs! frāter meus est sapiēns! frāter meus est Apollō. Apollō medicīnam habet."

---

[26] caduceus: *Mercury's wand*

Iuppiter:
  "ō Apollō!
      ō Apollō!
adiuvā mē!
adiuvā mē! caput
meum dolet!."

APOLLO

Apollō medicīnam habet. sed—
ēheu!—medicīna nōn adiuvat!
  Iuppiter est deus fortis et
immortālis. medicīna nōn est fortis.
caput Iovis dolet et dolet et *dolet*!

Iuppiter:
"ō Vulcāne!
    ō mī fīlī!
adiuvā mē!"

ego patrem meum audiō. pater meus est miserābilis.

sed ego nōn sum medicus. ego medicīnam nōn habeō. ego nōn adiuvō patrem Iovem.

Iuppiter: "caput meum dolet! caput meum dolet!"

ego **cōnsilium capiō**.[27]

ego medicīnam nōn habeō, sed . . .

---

[27] consilium capio: *seize an idea, come up with an idea*

. . . ego **secūrim**[28]
magnum habeō!

ego: "ō mī pater, ego possum
adiuvāre! ego possum adiuvāre."

ego patrem adiuvat.

ego. . . caput patris pulsō

---

[28] securim: *an axe*

DUO FRATRES: FAMILIA MALA II

Iuppiter: "Aiiiiī! caput meum dolet!"

ego caput patris pulsō et pulsō et

. . .

ecce!

aliquid
ex capite
ēmergit!

Iūnō: "ēheu! quid est?
quid ēmergit
ex capite Iovis?"

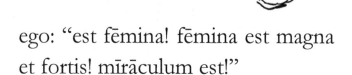

ego: "est fēmina! fēmina est magna et fortis! mīrāculum est!"

Iūnō: "ō fēmina, quis es tū?"

fēmina respondit:

"ego sum
Minervā.

ego sum dea fortis.

Iuppiter est pater meus.   ego ex
capite Iovis **nāta sum!**[29]"

    ego: "dea nāta es ex capite patris?
est mīrāculum!"

    Iuppiter: "dea? Minerva? quid
est? ō caput meum . . ."

    pater   Iuppiter   dolet   et
miserābilis est.

---

[29] nata sum: *I have been born*

40

sed ego laetus sum. iam ego sorōrem habeō!

capitulum VII
Vulcānus: Officīna

mihi placet
officīna[30] mea.

ego in officīnā meā labōrō. officīna mea est in monte Aetnā.

ecce Cyclōpēs.

sunt multī Cyclōpēs in officīnā meā.

---

[30] officina: *workshop*

in officīnā meā
est **ignis.**[31]

Cyclōpēs labōrant in
officīnā meā.
Cyclōpēs **rēs
igne faciunt.** [32]

in officīnā
automata[33] sunt.

sunt fēminae
artificiālēs et
metallicae.

---

[31] ignis: *fire*

[32] res igne faciunt: *(they) make things with fire*

[33] automata: *automatons, robots*

ego automata fēcī. automata
laborant in officīnā meā.

automaton:
"ō   Vulcāne,
est deus in officīnā.

ego: "est deus? in officīnā meā?
quis est? est pater meus?"

ego officīnam investīgō. ecce—
est deus in officīnā, sed nōn est
pater Iuppiter.

est Promētheus.

ego laetus sum. Promētheus est
amīcus meus.

Promētheus: "ō mī amīce! adiuvā mē!"

ego: "ō Promētheu, quid tū vīs?"

Promētheus: "ego figūrās mīrābilēs fēcī. ecce."

in manū
est figūra.

figūra sē movet.
figūra mīrābilis est.

ego: "figūrae tuae sunt mīrābilēs. sed figūrae nōn sunt . . . metallicae!"

Promētheus: "figūrae meae nōn

sunt fortēs sīcut animālia. figūrae
sunt hūmānae. figūrae sunt
mortālēs. illae habent . . .

neque[34] unguēs
longōs

neque dentēs
magnōs

neque ālās
rapidās.

ō mī amīce, habēsne tū **arma?**[35]

---

[34] neque: *neither . . . nor*
[35] arma: *weapons*

arma **mortālibus apta?**[36]"

ego: "hmmmm.   arma
mortālibus apta . . ."

Cyclōpēs
faciunt arma
mortālibus apta.

illī faciunt
unguēs longōs

et dentēs
magnōs

et ālās
rapidās.

---

[36] mortalibus apta: *fitting for mortals, appropriate for mortals*

arma sunt mīrābilia!

ego: "ō Promētheu! ecce--arma mortālibus apta!"

Promētheus: "ō mī amīce! arma sunt mīrābilia! hominēs nōn iam erunt miserābilēs. iam illī erunt rapidī et fortēs sīcut animālia."

automaton ad Promētheum **venit.**[37] fēmina ignem habet.

ego: "ecce ignis."

---

[37] venit: *comes*

Promētheus: "ignis? ignis mihi placet! est mīrābilis!"

Promētheus ignem īnspectat.

ignis Promētheō placet.

Promētheus: "ignis mīrābilis est! iam hominēs erunt similēs deīs in monte Olympō!"

capitulum VIII
Promētheus

ecce hominēs.

hominēs
ignem habent.

illī multās rēs igne faciunt.
hominēs unguēs longōs et
dentēs magnōs nōn habent.
sed hominēs
arma faciunt.

arma sunt
metallica.

iam hominēs fortēs sunt. iam illī arma habent.

ecce hominēs cibum faciunt igne. hominēs nōn sunt miserābilēs.

mortālēs mē amant, et ego mortālēs amō.

hominēs: "ō Promētheu, tū es deus maximus et bonus! ignis est bonus! Iuppiter nōn est deus bonus! Iuppiter vult nōs hominēs esse miserābilēs!

ōlim nōs fuimus parvī et **īnfirmī**. iam nōs sumus sīcut deī—fortēs et sapientēs!"

51

ego laetus sum.

ego:
"ō meae creātūrae,
ego vōs omnēs amō!

ego putō vōs esse fortiōrēs quam
animālia.   ego putō vōs esse
sapientiōrēs quam deōs!"

sed Iuppiter
omnia videt.

ille hominēs nōn amat. ille laetus
nōn est.
      īrātus est!

capitulum IX

Iūnō

ego sum
Iūnō.

sum dea
et uxor Iovis.
ego Iovem audiō.

Iuppiter
īrātus est.

Iuppiter **rēx deōrum**[38] est. sum
uxor Iovis . . . et soror. ego nesciō
cūr Iuppiter meus sit īrātus.[39]

---

[38] rex deorum: *king of the gods*

[39] cur Iuppiter meus sit iratus: *why my Jupiter is angry*

Iuppiter: "ō uxor! īrātus sum!"

ego: "quid tū dīcis, ō rēx? cūr es tū īrātus?"

Iuppiter: "Prōmētheus creātūrās hūmānās, nōn deōs, amat!"

ego: "creātūrās hūmānās? Quid est creātūra hūmāna?"

Iuppiter: "sunt creātūrae **factae ex humī.**[40]"

---

[40] factae ex humi: *made out of earth*

ego: "ō rēx, creātūrae nōn sunt magnae! Nōn sunt fortēs! cūr es tū īrātus?

Iuppiter: "Promētheus dīxit creātūrās esse sapientēs sīcut deōs! deī sunt sapientēs! creātūrae nōn sunt sapientēs! mihi nōn placent creātūrae hūmānae!
mihi nōn placet
Promētheus!

ego īrātus sum!"

Mercurius
patrem audit.

Mercurius: "ō Iuppiter, quid tū vīs? cūr es tū īrātus?"

Iuppiter: "Promētheus dīxit hominēs esse sapientēs! hominēs habent . . . ignem!

"ō Mercurī, removē ignem! hominēs erunt miserābilēs!"

Mercurius: "ō rēx, ego ignem removēbō.

ego ignem **afferam**[41]
ad montem
Olympum."

Iuppiter: "hominēs erunt miserābilēs! hahahae!"

---

[41] afferam: *I will bring, take (the fire) to*

capitulum X

Promētheus

horribilem! horrōrem!

MERCURIUS

Mercurius
in terrā erat.

Mercurius
ignem cēpit
et remōvit.

ille rapidus cucurrit!

ēheu! hominēs ignem nōn habent!

iam ignis est in monte Olympō.

ego hominēs videō,
et trīstis sum!
ānxius sum!

hominēs cibum
nōn faciunt.

hominēs arma
nōn faciunt.

ego putō Iovem esse crūdēlem.

Epimētheus: "ō frāter, cūr tū es trīstis?"

ego: "hominēs ignem nōn iam habent.

Mercurius ignem cēpit et remōvit.

omnēs hominēs sunt miserābilēs.

Epimētheus: "hahahae! ō frāter, tū es rīdiculus! tū es absurdus!"

"hominēs sunt īnfirmī! hominēs sunt stupidī! nōn sunt rapidī et fortēs sīcut animālia. ego **cōnsilium cēpī.**"⁴²

ego: "quid est cōnsilium, ō frāter?"

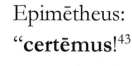

Epimētheus: "**certēmus!**⁴³

in prīmō certāmine nōs in marī natābimus.

---

⁴² consilium cepi: *I have adopted a plan, I have a plan.*

⁴³ certemus: *let's compete, hold a contest*

deinde in secundō certāmine nōs currēmus.

deinde in tertiō certāmine
nōs montem
scandēmus!"

ego: "ō frāter, ego nōn
sum āthlēta. mihi nōn
placet currere.

mihi nōn placet montem
scandere . . ."

Epimētheus: "tibi nōn placet montēs scandere? hominēs stupidī sunt, sed tu es stupidior quam hominēs. valē, ō frāter stupide!"

frāter Epimētheus **ab mē**[44] currit.

ēheu! frāter putat mē esse . . .

. . . stupidum! mē?! stupidum?!

sum īrātus.

sed ego cōnsilium habeō.

cōnsilium meum est bonum.

---

[44] ab me: *from me, away from me*

capitulum XI
Promētheus

ego currō.

mihi nōn placet currere. ego nōn
sum āthlēta.

sed ego rapidē currō et currō et
currō.

ego
ad montem
Olympum
currō.

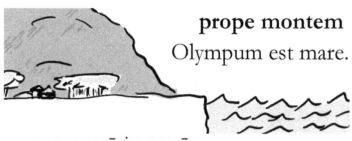

prope montem
Olympum est mare.

ego currō in marī.

deinde ego natō.

ego rapidus per mare natō. ego natō
et natō et natō.

iam ego
montem scandō.

65

mihi nōn placet montem scandere,
sed . . . ego rapidus scandō. ego
scandō et scandō et scandō . . .

et iam ego sum
in summā
montis Olympī.

in summā montis Olympī est . . .

. . .ignis!

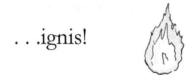

in silentiō ego ad ignem currō,
        et ego ignem capiō!

ego laetus sum!

ego ignem
habeō!

capitulum X

Epimētheus: sonī

ego sonōs audiō.

tuxtāx! tuxtāx! tuxtāx!

quis sonōs facit? sonī sunt magnī!
horribilēs sunt! mihi nōn placent
sonī magnī et horribilēs!

tuxtāx! tuxtāx! tuxtāx!

caput meum dolet! ego nōlō
audīre sonōs horribilēs!
ego sum īrātus sed cūriōsus. ego
terram investīgō.

ego inveniō . . . hominēs!
hominēs sonōs faciunt.

hominēs
multās rēs
faciunt.

hominēs
cibum faciunt.

hominēs
arma faciunt.

omnēs hominēs magnōs sonōs
faciunt!

ō caput meum!

sed . . . quid est?

ecce! ignis!

hominēs ignem habent!

quis **eīs dedit**[45] ignem?

ecce
frāter meus.

iam ego omnia sciō. frāter meus ignem cēpit. frāter meus ignem hominibus dedit.

frāter meus hominēs amant. Promētheus mē nōn amat. Promētheus deōs et deās amat. mortālēs amat! ō rem rīdiculam!"

sed ego
cōnsilium
habeō.

---

[45] eis dedit: *gave them*

ego ad montem Olympum currō. ad regem Iovem currō.

ego: "ō Iuppiter, rēx deōrum! frāter meus est malus!"

Iuppiter: "Promētheus est malus et rīdiculus. ille figūrās ex humī fēcit. figūrae sunt 'hominēs.'

ille **eīs dedit**[46] ignem. sed ego ignem cēpī!

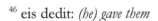

---

[46] eis dedit: *(he) gave them*

71

iam ignis est in monte Olympō. hominēs sunt miserābilēs!"

ego: "ō Iuppiter, hominēs nōn sunt miserābilēs! Promētheus ad montem Olympum vēnit, et . . .

ille ignem cēpit.

deinde ille hominibus dedit ignem. iam hominēs ignem habet.

illī multās rēs faciunt!"

 Iuppiter: "quid?!

hominēs ignem habent? rīdiculum est! ignis est in monte Olympō!"

Iuppiter anxius montem Olympum investīgat. ignis nōn est in monte!

īrātus est!

Iuppiter: "UBI EST IGNIS?"

capitulum XI
Vulcānus

Iuppiter
īrātus est.

"Vulcāne! Vulcāne!"
ego patrem meum audiō. timidus
sum. rapidē ad Iovem currō.

ego: "ō pater,
quid tū vīs? cūr
tū mē vocās?"

Iuppiter: "Vulcāne, Promētheus
ignem remōvit! iam hominēs ignem
habent!

Promētheus **pūniendus est!**[47]"

ego: "Promētheus pūniendus est? sed Promētheus est immortālis!"

Iuppiter: "Promētheus est Tītānus. mihi nōn placent Tītānī. omnēs Tītānī sunt malī! Promētheus pūniendus est! ō Vulcāne, **faciās mihi**[48] rem mīrābilem!"

ego: "quid tū vīs, ō rēx immortālis?"

Iuppiter: "faciās mihi . . . **catēnam**[49] mīrābilem.

ego Promētheum pūniam! ego

---

[47] puniendus est: *(he) must be punished*

[48] facias mihi: *make for me . . .*

[49] catena: *a chain*

volō catēnam fortem. nōlō Promētheum effugere!"

ēheu!

nōlō facere catēnam fortem.
nōlō Promētheum pūnīrī.   sed
timidus sum.

 ego: "ō rēx, ego faciam tibi
catēnam longam et
fortem.

Promētheus **nōn effugiet ex**[50]
catēnā meā."

ō Promētheum miserābilem!

---

capitulum XII
puella

ecce catēna.

catēna est longa et fortis.

Promētheus est captīvus in catēnīs longīs et fortibus. eī nōn placet esse in catēnīs. est miserābilis.

ecce puella.

puella Promētheum videt.

puella: "ō Promētheu, cūr es tū in catēnīs?"

Prométheus: "Iuppiter rēx mē pūnīvit. ego ignem cēpī. nunc in catēnīs sum. sum captīvus."

ecce duae avēs.

avēs sunt magnae et horribilēs.

puella: "**quid agunt**[51] avēs malae?"

Prométheus: "ō puella, **cotīdiē**[52] avēs descendunt et **iecur meum**[53] cōnsūmunt.

---

[51] quid agunt: *what (are the birds) doing?*

[52] cotidie: *every day*

[53] iecur meum: *my liver*

puella: "quid?! cotīdiē avēs comedunt iecur tuum? horribilem! horrōrem!"

Promētheus: "cotīdiē avēs iecur cōnsūmunt et deinde iecur meum **regenerātur.**[54]"

puella: "horribilem! horrōrem!"

Promētheus: "iecur meum **cōnsūmitur,**[55] deinde **regenerātur.**

cōnsūmitur . . .

      regenerātur . . . .

consūmitur . . .

      regenerātur . . .

IN AETERNUM!"

---

[54] regeneratur: *is regenerated, grows back*

[55] consumitur: *is consumed, is eaten*

avēs malae iecur Promētheī
cōnsūmunt. horribile est!

Promētheus: "ō puella, quis es tū?
quid est nōmen tibi?"

puella:
"ego sum
Pandōra."

Index Vocabulorum

A

ab: *from, by*
absurdus: *absurd*
ad: *to, towards*
adiuva: *help!*
adiuvant: *they help*
adiuvare: *to help*
adiuvat: *s/he helps*
adiuvo: *I help*
alas: *wings*
aliis: *the other, others*
alios: *the other, others*
aliquid: *something*
amant: *they love*
amat: *s/he loves*
amice: *friend*
amici: *friends*
amicos: *friends*
amicus: *a friend*
amo: *I love*
animalia: *animals*
apta: *fitting for, appropriate for*
arma: *weapons*

arrogans: *arrogant*
artes: *arts*
artifex: *artist, craftsman*
artificiales: *artificia*eta: *athlete*
audio: *I hear*
audire: *to hear*
audis: *you hear*
audiunt: *they hear*
audivi: *I heard*
aves: *birds*

B

bellum: *war*
bene: *well*
bonam: *good*
bonas: *good*
bonum: *good*
bonus: *good*

C

caelo: *sky*
capiam: *I will capture, seize, grab*
capillos: *hair*
capio: *I capture, seize, grap*
capite: *capture! seize!*

81

capitva: *captive*

captivi: *captives*

captivus: *captive*

caput: *head*

catena: *chain*

catenae: *chains*

catenam: *chain*

catenas: *chains*

centum: *a hundred*

cepi: *I seized, captured*

cepit: *s/he seized, captured*

certamen: *a contest*

certamine: *a contest*

certamus: *we compete*

cibum: *food*

circum: *around*

cithara: *a lyre (a Greek stringed instrument)*

consilium: *an idea, a plan*

consumant: *they consume*

cotidie: *every day*

creaturae: *creatures*

creaturas: *creatures*

crudelem: *cruel*

crudelis: *cruel*

cucurrimus: *we ran*

cur: *why?*

curiosus: *curious*

curremus: *we will run*

currere: *to run*

currit: *s/he runs*

curro: *I run*

currunt: *they run*

custodes: *guardians*

D

dea: *goddess*

deae: *goddesses*

deas: *goddesses*

dedisti: *you gave*

dedit: *s/he gave*

dei: *gods*

deinde: *then, next*

deis: *to the gods*

densos: *dense, thick*

dentes: *teeth*

deo: *to the god*

deorum: *of the gods*

deos: *the gods*

deus: *god*

dicis: *you say*

difficilia: *difficult*

difficile: *difficult*

difficultatem: *a*

difficulty
dixit: *s/he said*
doleo: *I am in pain, I am hurting*
dolet: *hurts, is in pain*
duo: *two*
duram: *hard, durable*

E

ea: *she*
eae: *they*
ecce: *behold, look!*
effugere: *to run away, escape*
effugiam: *I will run away, escape*
eheu: *alas, oh no!*
ei: *they; to him, to her*
eis: *to them*
elephantes: *elephants*
elephantibus: *to/for the elephants*
emergit: *s/he emerges*
eram: *I was*
eramus: *we were*
erant: *they were*
erat: *he was*
ergo: *therefore*

erit: *s/he will be, it will be*
erunt: *they will be*
es: *you are*
esse: *are, is, to be*
est: *s/he is, it is, there is*
et: *and*
eum: *him*
ex: *from, out of*
exclamantem: *shouting, exclaiming*
exclamat: *s/he shouts, exclaims*

F

facere: *to make*
faciam: *I will make*
facias: *you will make*
faciat: *s/he will make*
facient: *they will make*
facio: *I make*
facit: *he makes*
faciunt: *they make*
faciuntur: *(they) are made*
factae: *made*
factae sunt: *(they) were made*

falsa: *false, fake*
feci: *I made*
fecisti: *you made*
fecistine: *did you make?*
fecit: *s/he made*
femina: *woman*
feminae: *women*
feminas: *women*
feram: *I will carry, bring*
figura: *a figure*
figurae: *figures*
figuras: *figures*
fili: *son*
filios: *sons*
filium: *a son*
filius: *a son*
forte: *strong, brave*
fortes: *strong, brave*
fortia: *strong, brave*
fortiores: *stronger, braver*
fortis: *strong, brave*
frater: *brother*
fratrem: *brother*
fratri: *to the brother, of my brother*
fuit: *s/he was, it was*
fuimus: *we were*

G

galeam: *helmet*
gladii: *swords*
gladios: *swords*

H

habebis: *you will have*
habebit: *s/he will have*
habebunt: t*hey will have*
habent: *they have*
habeo: *I have*
habere: *to have*
habes: *you have*
habet: *s/he has*
habuit: *s/he had*
hac: *this*
haec: *this; these*
herba: *plant, herb*
herbis: *plants, herbs*
hi: *theses*
hic: *this*
hoc: *this*
homines: *people*
hominibus: *to the people, for the people*
horribile: *horrible*
horribiles: *horrible*
horribilia: *horrible*

huc: *to this place, to here*
humanae: *human*
humi: *the earth, the ground*
humus: *the earth, the ground*

I

iam: *now*
iecur: *liver*
igne: *fire*
ignem: *fire*
ignis: *fire*
illae: *those*
ille: *he, that*
illi: *those, they*
immortales: *immortal*
immortalibus: *for the immortales, to the immortales*
immortalis: *immortal*
in: *in, on*
infirma: *weak, infirm*
infirmae: *weak, infirm*
infirmi: *weak, infirm*
inspectant: *they inspect*
inspectat: *s/he inspects*
instrumento: *instrument*

instrumentum: *instrument*
insula: *island*
intelligens: *intelligent*
intelligentior: *more intelligent*
invenio: *I find*
invenit: *s/he finds; s/he found*
investigat: *s/he investigates*
investigo: *I investigate*
Iove: *Jupiter*
Iovem: *Jupiter*
Iovis: *Jupiter*
iratus: *angry, irate*
ire: *to go*
Iuno: *Juno*
Iunonem: *Juno*
Iuppiter: *Jupiter*

L

laborant: *they work*
laborare: *to work*
laetus: *happy*
legere: *to read*
legit: *s/he reads*

libros: *books*
longa: *long*
longam: *long*
longos: *long*
longum: *long*
lupi: *wolves*
lupis: *wolves*

M

machinae: *machines*
machinas: *machines*
magicae: *magic*
magicus: *magic*
magnae: *large, big*
magni: *large, big*
magno: *large, big*
magnos: *large, big*
magnum: *large, big*
magnus: *large, big*
mala: *bad, evil, wicked*
mali: *bad, evil, wicked*
malos: *bad, evil, wicked*
malum: *bad, evil, wicked*
malus: *bad, evil, wicked*
manu: *hand*
mare: *the sea*
mari: *the sea*
maximus: *largest,*

biggest, greatest
me: *me*
mea: *my*
meae: *my*
meas: *my*
medica: *doctor*
medicus: *doctor*
medicina: *medicine*
Mercuri: *Mercury*
Mercurium: *Mercury*
Mercurius: *Mercury*
metallica: *made of metal, metallic*
metallicae: *made of metal, metallic*
metallicam: *made of metal, metallic*
metallicas: *made of metal, metallic*
metallici: *made of metal, metallic*
metallo: *metal*
meum: *my*
meus: *my*
mi: *my*
mihi: *to me, for me*
Minerva: *the goddess Minvera*

mirabile: *wonderful, miraculous*

mirabilem: *wonderful, miraculous*

mirabiles: *wonderful, miraculous*

mirabilia: *wonderful, miraculous*

mirabilis: *wonderful, miraculous*

miraculum: *a miracle*

miserabilem: *miserable*

miserabiles: *miserable*

miserabilis: *miserable*

monstra: *monsters*

monte: *mountain, mount*

montem: *mountain, mount*

montis: *mountain, mount*

mortales: *mortals*

mortalibus: *mortals*

movent: *they move*

movet: *s/he moves*

mox: *soon*

multa: *many*

multas: *many*

multi: *many*

multos: *many*

musicale: *musical*

musicali: *musical*

musicam: *music*

N

nata est: was born

natabimus: *we will swim*

natamus: *we swim*

natare: *to swim*

natas: *you swim*

natat: *s/he swims*

nato: *I swim*

neque: *neither, nor*

nobis: *to us, for us*

nolo: *I don't want*

nomen: *name*

nomina: *names*

non: *not*

nonne: *surely . . .*

nos: *we*

O

oculos: *eyes*

officina: *workshop*

officinam: *workshop*

olim: *once, once upon a time*

87

Olympi: *Olympus*
Olympo: *Olympus*
Olympum: *Olympus*
Olympus: *Olympus*
omne: *all, every*
omnes: *all, every*
omnia: *all, everything*
omnibus: *all*
ordinaria: *ordinary*
ordinarii: *ordinary*

P

parva: *small*
parvae: *small*
parvas: *small*
parvi: *small*
parvis: *small*
parvos: *small*
pater: *father*
patrem: *father*
patris: *father's, of the father*
pedes: *feet*
per: *through*
pictura: *picture*
placet: *like, is pleasing to*
possum: *I am able, can*
possunt: *they are able, can*
possuntne: *are they able, can*
poteram: *I was able, can*
potest: *s/he is able, can*
primo: *first*
primum: *first*
proditor: *a traitor*
puella: *a girl*
pugnabant: *they were fighting*
pugnare: *to fight*
pugnaverunt: *they fought*
pugnavi: *I fought*
pugnavit: *s/he fought*
pulchra: *beautiful*
pulsat: *s/he fights*
puniam: *I will punish*
puniendus: *must be punished*
punire: *to punish*
punit: *s/he punishes*
punivit: *s/he punished*
puto: *I think*

Q

quae: *who*

quam: *than*
quattuor: *four*
quid: *what*
quinque: *five*
quis: *who*
quoque: *also*

R

rapide: *rapidly, quickly*
rapidi: *rapid, quick*
rapidior: *more rapid, quicker*
rapidos: *rapid, quick*
rapidus: *rapid, quick*
rem: *thing*
removebo: *I will remove*
removere: *to remove*
removet: *s/he removes*
removete: *remove!*
removit: *s/he removed*
res: *things*
respondit: *responded, answered*
rex: *king*
ridiculae: *ridiculous*
ridiculam: *ridiculous*
ridicule: *ridiculous*
ridiculum: *ridiculous*

ridiculus: *ridiculous*

S

sapiens: *wise, intelligent*
sapientes: *wise, intelligent*
sapientiores: *wiser, more intelligent*
saxo: *a rock*
scandemus: *we will climb*
scandere: *to climb*
scando: *I climb*
scio: *I know*
scis: *you know*
scisne: *do you know*
scribere: *to write*
scribit: *s/he writes*
se: *himself, herself, that he, that she*
secreto: *secret*
secretum: *secret*
securim: *an axe*
sed: *but*
si: *if*
sicut: *as, just like*
silentio: *silence*
silentium: *silence*
similes: *similar to, like*

sit: *may be, is*
solus: *alone*
soni: *sounds*
sonos: *sounds*
soror: *sister*
sororem: *sister*
stataue: *statues*
stupide: *stupid, foolish*
stupidi: *stupid, foolish*
stupidum: *stupid, foolish*
sum: *I am*
summa: *the summit, the top of*
sumus: *we are*
sunt: *they are*
syllabae: *syllables*
syllabarum: *syllables*

T

taedet: *(it) bores*
Tartaro: *Tartarus*
te: *you*
terra: *earth, land*
terram: *earth, land*
tertium: *third*
testudo: *tortoise*
tibi: *to you, for you*
tigres: *tigers*

tigribus: *tigers*
tigris: *tiger*
timent: *they fear, are afraid*
timet: *s/he fears, is afraid*
timidus: *fearful, afraid, timid*
Titani: *Titans*
Titanis: *Titans*
Titanorum: *Titans*
Titanos: *Titans*
Titanus: *a Titan*
tres: *three*
tristis: *sad*
tu: *you*
tuae: *your*
tuum: *your*

U

ubique: *everywhere, on all sides*
ungues: *talons, claws*
unus: *one*
uxor: *wife*
uxorem: *wife*

V

veni: *come*

venio: *I come*

venire: *to come*

venit: *s/he comes*

veniunt: *they come*

victor: *victor, winner*

victores: *victors, winners*

video: *I see*

vides: *you see*

videt: *s/he sees*

vir: *man*

virum: *man*

vis: *you want*

vocantem: *calling*

vocas: *you call*

vocat: *s/he calls*

volant: *they fly*

volare: *to fly*

volo: *I want*

volucres: *vultures*

volunt: *they want*

vos: *you*

vult: *s/he wants*

About the author

Andrew Olimpi lives in Dacula, Georgia with his beautiful and talented wife, Rebekah, an artist, writer, and English teacher. When he is not writing and illustrating books, Andrew teaches Latin at Hebron Christian Academy in Dacula, Georgia. He holds a master's degree in Latin from the University of Georgia, and currently is working on a PhD in Latin and Roman Studies at the University of Florida. He is the creator of the Comprehensible Classics series of Latin novellas aimed at beginner and intermediate readers of Latin.

Filia Regis et Monstrum Horribile
Level: Beginner/Intermediate
Unique Word Count: 125

Originally told by the Roman author Apuleius, this adaptation of the myth of Psyche is an exciting fantasy adventure, full of twists, secrets, and magic. The reader will also find many surprising connections to popular modern fairy tales, such as "Cinderella," "Snow White," and "Beauty and the Bea

VIA PERICULOSA
Level: Beginner/Intermediate
Unique Word Count: 100

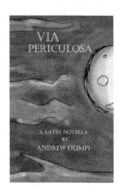

Niceros is a Greek slave on the run in ancient Italy, avoiding capture and seeking his one true love, Melissa. However, a chance encounter at an inn sets in motion a harrowing chain of events that lead to murder, mayhem, mystery, and a bit of magic. (loosely adapted from the Roman author Petronius)

Familia Mala:
Saturnus et Iuppiter
Level: Beginner
Word Count: 120 (35 cognates)

They're the original dysfunctional family! Rivalry! Jealousy! Poison! Betrayal! Gods! Titans! Cyclopes! Monsters! Magical Goats!

Read all about the trials and tribulations of Greek mythology's original royal family! Suitable for all novie Latin readers.

Ego, Polyphemus
Level: Beginner
Unique Word Count: 155 (80 cognates)

Polyphemus the Cyclops' life is pretty simple: he looks
after his sheep, hangs out in his cave, writes (horrible)
poetry, eats his cheese . . . until one day a ship arrives
on his peaceful island, bringing with it invaders and
turning his peaceful world upside down.

    This novella, based on the works of the Vergil
and Ovid, is suitable for all beginning readers of Latin.

Ego, Polyphemus
a Latin novella
by Andrew Olimpi

LABYRINTHUS
Level: Beginner
Unique Word Count: 125
(40 cognates)

Princess Ariadna's family is . . . well . . .
complicated. Her father Minos, king of Crete,
ignores her. Her mother is insane. Her half-
brother is a literal monster—the Minotaur who
lives deep within the twisting paths of the Labyrinth. When a
handsome stranger arrives on the island, Ariadna is faced with the
ultimate choice: should she stay on the island of Crete, or should she
abandon her family and her old life for a chance at escape . . . and
love? This novella is adapted from Ovid's "Metamorphoses" and
Catullus' "Carmen 64," and is suitable for all novice readers of Latin.

Perseus et Rex Malus
Puer Ex Seripho
Vol. 1
Level: Intermediate
Unique Word Count: 300

On the island of Seriphos lives Perseus a twelve-year-old boy, whose world is about turned upside down. When the cruel king of the island, Polydectes, is seeking a new bride, he casts his eye upon Perseus' mother, Danaë. The woman bravely refuses, setting in motion a chain of events that includes a mysterious box, a cave whose walls are covered with strange writing, and a dark family secret. "Perseus et Rex Malus" is the first of a two-part adventure based on the Greek myth of Perseus.

Perseus et Medusa
Puer Ex Seripho, Volume 2

Level: Intermediate
Unique Word Count: 300

Perseus and his friends Xanthius and Phaedra face monsters, dangers, and overwhelming odds in this exciting conclusion of "The Boy from Seriphos." This novel, consisting of only 300 unique Latin words (including close English cognates), is an adaptation of the myth of Perseus and Medusa, retold in the style of a young adult fantasy novel.

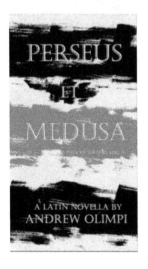

CPSIA information can be obtained
at www.ICGtesting.com
Printed in the USA
LVHW020804081019
633524LV00012B/1205/P

9 781733 005210